Y FERCH HEB LAIS

Mae'r cyhoeddwr yn cydnabod cymorth ariannol Cyngor Llyfrau Cymru

Ysgrifennwyd gyda:

Ellen Rigler	Jamie Rigler
Jamie Stone	Dewi Jenkins
Magda Wickson	Louise Beck

Awdur:
Mike Church

Darluniau gan:
Huw Aaron

Dyluniwyd gan:
David Ganderton

Addasiad gan:
Anwen Cullinane a Jaci Evans

Cynhyrchiad Y Rhwydwaith Rhieni

Mae cofnod catalog ar gyfer y llyfr hwn ar gael gan y Llyfrgell Brydeinig ISBN 978-1-9995973-9-9.

Cyhoeddwyd gan Y Rhwydwaith Rhieni CCB 2017
Rhif Cofrestru'r Cwmni: 9725774
Hawlfraint Dylunio ac Argraffu © Y Rhwydwaith Rhieni 2017
Hawlfraint Darlunio © Huw Aaron 2017

Argraffwyd yng Nghymru.

Y FERCH HEB LAIS

Petra
PUBLISHING
Parents Engaging To Raise Aspirations

Un tro, roedd yna ferch a oedd yn dweud pethau ofnadwy.

Pwy a ŵyr beth fyddai hi'n dweud.

Yn yr ysgol roedd hi'n dweud pethau cas wrth blant
oedd yn gwisgo sbectol a fframiau dannedd.

Roedd hi'n dweud wrth blant eu bod yn hyll neu'n drewi neu'n
dew, ac yn gas wrthyn nhw am gael gwallt coch. Roedd hi'n gadael
i blant wybod os oedd ganddynt drwyn neu glustiau mawr.
Dywedodd wrth athro a oedd heb wallt fod ei ben yn edrych fel wy.

Ceisiodd y plant eu gorau glas i fod yn
garedig wrthi ond nid oedd hyn yn hawdd.

Yna, un diwrnod, fe fwrodd rhywun ei chinio dros y llawr.
Fe aeth yn wallgof, gan ddweud y pethau mwyaf cas y
gallai feddwl amdanynt, hyd nes oedd y rhan fwyaf o'r ysgol
yn eu dagrau – ac fe dorrodd dair o ffenestri'r ysgol.
Doedd hi ddim yn gallu helpu ei hun.

Y noson honno, wrth iddi lanhau ei dannedd,
dechreuodd feddwl am ei diwrnod.

Yna stopiodd.

Edrychodd yn syth i mewn i'r drych a gofyn iddi'i hun,

"Pam wyt ti mor ofnadwy?"
"S'dim byd neis gennyt i ddweud am neb, nag oes?"

Ysgydwodd ei phen.

Yna fe wnaeth benderfyniad mawr.
Yr oedd wedi blino ar fethu rhoi stop ar yr holl bethau
drwg oedd yn dod i'w phen, felly penderfynodd gael
gwared â'i llais cas.

Daeth o hyd i hen botel, cymerodd un swig o'r hylif golchi dannedd, a phoeri ei llais allan i'r botel, i gael gwared ohono am byth.

Gwthiodd y corcyn yn ôl ar y botel yn sydyn a gwelodd ei llais yn gwingo ac yn ceisio dianc y tu mewn iddi.

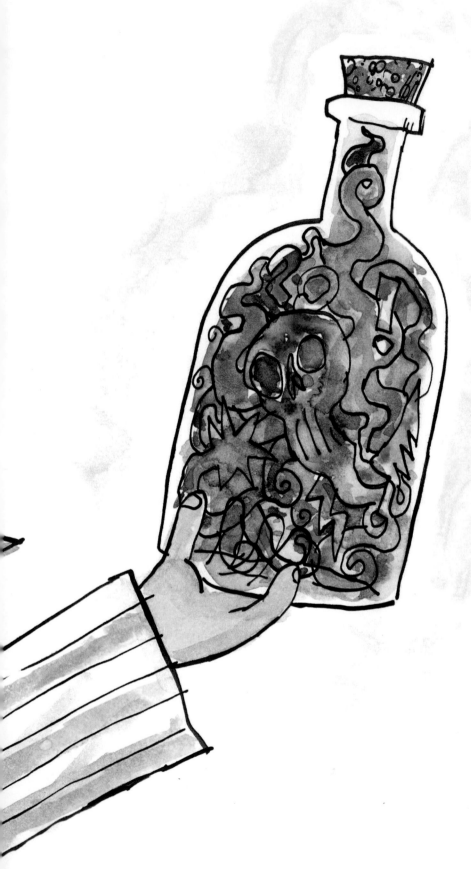

Yna gwenodd am y tro cyntaf ers amser maith.

Ar ei ffordd i'r ysgol taflodd y botel cyn belled ag y gallai i mewn i nant fach, a'i gwylio yn mynd gyda llif y dŵr.

Pan gyrhaeddodd y ferch yr ysgol, eisteddodd yn dawel ac ni siaradodd neb â hi.

Ni allai neb gredu'r hyn oedd wedi digwydd, felly fe gadwodd pawb draw. Gwelodd rai yn sibrwd amdani mewn corneli.

Wrth i'r diwrnodau a'r wythnosau fynd heibio daeth rhai o'r plant yn fwy dewr gan ddechrau chwerthin ar ei phen am ei bod yn rhy dawel.

Ond gwrandawodd y ferch heb lais yn fwy nag yr oedd erioed wedi gwneud o'r blaen.

Darllenodd fwy nag yr oedd wedi'i ddarllen erioed.

Dechreuodd wneud pethau hyfryd – ac ni sylwodd neb.

Rhoddodd arian cinio coll yn ôl ble'r oedd fod.

Rhoddodd y cotiau oedd wedi disgyn ar y llawr yn ôl ar eu bachyn.

Roedd yn mynd i'r ysgol yn gynnar gan osod llyfrau pawb

a naddu phensiliau pawb yn barod am y diwrnod.

Roedd hi hyd yn oed wedi tacluso desg yr athro.

Yn y cyfamser, arnofiodd y botel i lawr y nant i afon fawr.
Cyflymodd yr afon yn gynt ac yn gynt hyd nes iddi lifo i
mewn i'r môr. Cipiodd y tonnau y botel yn bell bell i
ffwrdd hyd nes cyrhaeddodd y cefnforoedd lle'r oedd
saith môr-leidr yn byw.

Roedd gan un ohonynt wallt coch, un arall
yn gwisgo sbectol, un arall yn drewi'n
ddrwg, ac roedd un yn gwisgo
clwt llygad.

Roedd dau ohonynt yn
efeilliaid gyda choesau
pren ac roedd un ohonynt
yn enfawr.

Daeth y môr-ladron o hyd i'r botel a gwrando ar y llais ofnadwy.

"Aahhaa ha ha!" meddai un.

"Dal arni!" meddai'r llall.

"Dwi'n crynu yn fy esgidiau!" meddai'r trydydd.

Gwyddai'r tri eu bod wedi dod o hyd i lais go arbennig, a gwybod hefyd pam ei fod wedi cael ei daflu i ffwrdd.

"Mae angen ein help ar y llais hwn," meddai'r môr-leidr â gwallt coch.

Felly hwyliodd y tri ar eu llong i ddarganfod perchennog y llais. Croesodd y criw y cefnforoedd, a mynd i bob un ysgol i weld pa blentyn trist oedd wedi taflu'r llais i ffwrdd.

Wrth gyrraedd yr ysgol
olaf, gadawodd y criw eu
llong wedi ei hangori ar bwys
y nant fach a brasgamu dros
y bompren.

Roedd hyn wedi achosi
cyffro mawr yn yr iard
chwarae, ac ymgasglodd y
plant o'u hamgylch.

Fe edrychodd y môr-leidr a oedd yn gwisgo'r clwt llygad drwy ei delesgop a gweld merch fach unig yn eistedd yn y llyfrgell yn edrych yn drist iawn.

Felly gadawodd y môr-ladron yr iard, a mynd draw at lle'r oedd y ferch yn eistedd.

"Helô, gyd-forwraig ifanc!" meddai'r môr-leidr enfawr.

"Pam wyt ti yma ar y lan ar dy ben dy hun?"

"Wyt ti wedi colli rhywbeth, ferch?" holodd un o'r efeilliaid.
Amneidiodd y ferch ei phen i gadarnhau.
"Wyt ti eisiau ef yn ôl?"

Ysgydwodd y ferch ei phen.

"Wel bobl bach y bratiau, mae'r byd ar ben arni," meddai'r môr-leidr.
"Dewch â'r gist drysor!"

Daeth y môr-ladron â chist drysor enfawr o'r llong.

"Mae'r gist hon yn llawn trysor ... hoffet ti weld?"

Amneidiodd y ferch ei phen i gadarnhau. Agorodd y môr-ladron
y gist. Roedd yn llawn poteli o bob lliw a llun.

"Nawr 'te, cariad bach, hon yw dy un di, ond ti'n gweld, rydyn ni fôr-ladron yn mynd i newid y byd ac rydyn ni am gychwyn gyda'r ffordd mae pobl yn siarad.

Os gymeri di'r llais yma'n ôl fe weli di ei fod yn wahanol iawn gan ein bod wedi ei ailgylchu ... A hoffet ti drio?"

Meddyliodd y ferch heb lais am eiliad a chytunodd.

Agorodd y môr-ladron y botel ac yfodd y ferch heb
lais y cynnwys.

"Sut mae hynna?" gofynnodd efaill y môr-leidr.

"Wel mawredd mawr," meddai'r ferch. "Rydych wedi rhoi set o donsils rhyfeddol iawn i mi nawr – rydych yn gyd-forwyr gwerth chweil!"

Yna chwarddodd y grŵp lond eu boliau a chymryd hunlun,
cyn mynd i gyfarfod â gweddill yr ysgol. Dywedodd y ferch heb
lais wrth bawb am yr holl bethau hyfryd yr oedd yn eu gweld,
ac roedd y plant eraill yn caru ei llais môr-leidr newydd.

Ond mewn cornel dywyll o'r maes chwarae, roedd grŵp
bach o blant wedi cychwyn sibrwd a gwneud hwyl am sut
roedd y ferch yn siarad â'i llais newydd.

Roedd y môr-ladron yn gwybod nad oedd eu gwaith
yn yr ysgol ar ben ...